LE ROSSIGNOL, RENARD ET AUTRES FABLES

Une chinoiserie pour le XXIᵉ siècle...

Il existe plusieurs hypothèses sur les origines du théâtre, mais celle qui m'interpelle le plus a la forme d'une fable.

Une nuit, dans des temps immémoriaux, un groupe s'était rassemblé dans une caverne pour se réchauffer autour d'un feu et se raconter des histoires. Quand, tout à coup, l'un d'eux eut l'idée de se lever et d'utiliser son ombre pour illustrer son récit. En s'aidant de la lumière des flammes, il fit apparaître sur les murs des personnages plus grands que nature. Les autres, éblouis, y reconnurent tour à tour le fort et le faible, l'oppresseur et l'opprimé, le dieu et le mortel.

De nos jours, la lumière des projecteurs a remplacé le feu de joie initial et la machinerie de scène, les murs de la caverne. Mais le jeu demeure le même ; on raconte des histoires avec les moyens mis à notre disposition.

J'ai toujours soupçonné que l'opéra et la marionnette feraient bon ménage sur scène. J'avais l'intuition que, même si elles formaient une paire étonnante, ces deux disciplines étaient faites l'une pour l'autre : la marionnette pouvant magnifier la poésie du livret et donner du relief aux idées poétiques contenues dans la partition.

Bien sûr, on doit trouver le bon prétexte artistique pour inviter la marionnette à l'opéra. *Le Rossignol et autres fables* – un collage d'œuvres de Stravinsky où des animaux sont les personnages principaux – me semble être le terreau parfait pour combiner la sophistication, l'aspect grandiose de l'opéra et un vocabulaire issu tout droit de notre enfance.

Explorer les différentes manières dont on « voit » la musique a toujours été une de mes grandes fascinations. Un des traits géniaux de Stravinsky était cette façon unique – à la fois précise, limpide, poétique, folle et, parfois même, diabolique – d'inclure le sous-texte du livret dans sa musique. Il avait également une grande richesse théâtrale venant de son souci de donner à tous un accès égal à la scène, nous permettant ainsi aujourd'hui de bousculer la hiérarchie traditionnelle de l'opéra. Ces caractéristiques offrent aux spectateurs la chance d'être conscients, visuellement conscients, des différentes couches musicales dont est fait le spectacle.

Je demeure surtout fasciné par le fait que Stravinsky, au cœur de sa complexité musicale, avait surtout envie de raconter des fables enfantines. Et, d'une certaine manière, je pense que c'est exactement la façon dont on devrait aller au théâtre : avec l'esprit ouvert d'un enfant.

Robert Lepage
Metteur en scène

MATIÈRE **I** MUSICALE

IGOR STRAVINSKY, COMPOSITEUR MAJEUR DU XXᴱ SIÈCLE

Igor Feodorovitch Stravinsky (né à Saint-Pétersbourg en 1882 - mort à New York en 1971), compositeur russe naturalisé Français puis Américain, est une figure essentielle de la musique au XXᵉ siècle. Le Picasso de la musique, peut-on dire de lui, tant l'ampleur de son catalogue, les emprunts à l'histoire de sa discipline, ou encore la polyvalence des moyens utilisés pour créer, permettent la comparaison avec l'œuvre de Pablo Picasso.

Comme Picasso, Stravinsky a vécu et créé pendant la majeure partie du siècle dernier. Son entrée dans le monde de l'art a été marquée par des œuvres riches, provocantes, qui ont enflammé les esprits en France et ailleurs avant la Première Guerre mondiale. Tous deux ont trouvé une partie de leurs influences dans les cultures primitives : la Russie paysanne pour Stravinsky, l'Afrique des masques pour Picasso. À partir des années 1920, le plasticien et le compositeur ont poursuivi une démarche créatrice très personnelle en empruntant à diverses sources, dont le classicisme. Leurs catalogues respectifs, autant en qualité qu'en quantité, sont impressionnants. Autre élément de comparaison, ces deux géants de l'art du XXᵉ siècle ont puisé dans la riche histoire de l'Antiquité, notamment celle de la Grèce antique. Finalement, ce n'est pas surprenant qu'ils se soient connus, par l'intermédiaire de Diaghilev, et qu'ils aient même collaboré. En 1920, Picasso réalisa le décor pour la création du ballet *Pulcinella*. Il a fait des portraits de Stravinsky, en plus d'illustrer certaines partitions.

Stravinsky commence l'apprentissage du piano à l'âge de neuf ans. Son père est un chanteur célèbre ; c'est grâce à lui que le jeune Igor découvrira l'art lyrique, dès l'adolescence, en assistant aux représentations de l'Opéra impérial de Saint-Pétersbourg. Toutefois, ses parents n'encouragent guère le désir de leur fils d'embrasser une carrière musicale. Ils le dirigent plutôt vers une profession libérale. C'est par un de ses oncles que l'artiste en herbe trouvera encouragement et stimulation. Ses études universitaires en droit ne l'intéressant guère, il approfondit ses connaissances musicales, notamment en suivant des cours privés. Il fait plusieurs essais de composition. Il va assidûment à l'opéra et au concert. Quelques années plus tard, Stravinsky présente ses partitions à Nikolaï Rimsky-Korsakov. Dans la seconde moitié du XIXᵉ siècle, Rimsky-Korsakov a marqué de manière durable la musique russe. Nourri d'influences folkloriques et de l'ambiance des contes populaires, ce compositeur était, quand Stravinsky l'a approché pour recevoir ses leçons, le plus important compositeur russe vivant. Le premier acte du *Rossignol* doit beaucoup à l'auteur de la suite symphonique *Sheherazade* et de l'opéra *Le Coq d'or*. Pendant quelques années, Rimsky enseigne à Stravinsky la composition et l'orchestration, qui fascinent le jeune homme.

Igor Stravinsky avec Vaslav Nijinsky, danseur étoile des Ballets russes, dans son costume de *Petrouchka* (1911).

La carrière de Stravinsky s'amorce véritablement en février 1909, à Saint-Pétersbourg, après l'exécution en concert de *Feu d'artifice*, une fantaisie pour grand orchestre. Cette œuvre est un brillant condensé des connaissances acquises jusqu'alors par le jeune homme. Dans la salle, ce soir-là, se trouve Serge Diaghilev, directeur des Ballets russes. Peu de temps après, déçu par le manque d'implication d'un autre compositeur pour ce projet, l'impresario passe commande à Stravinsky d'un ballet sur la légende russe de l'oiseau de feu. En juin 1910, à Paris, au lendemain de la première du ballet du même nom, Stravinsky est célèbre dans toute l'Europe. Suivent *Petrouchka* et *Le Sacre du printemps*, en 1911 et 1913, aussi créés par les Ballets russes. En quelques années, l'écriture d'Igor Stravinsky a connu une progression étonnante, qui lui permet de clamer l'originalité de son style. Du même souffle, il devient une figure incontournable de la scène musicale mondiale.

L'entrée triomphale de Stravinsky sur la scène parisienne, avec ses trois ballets, demeure son plus spectaculaire fait d'armes. Il serait toutefois injuste de réduire son œuvre à cette seule époque. Car jusque dans les années 60, Stravinsky a composé nombre de remarquables partitions.

Pendant la Première Guerre mondiale, le compositeur se réfugie en Suisse. La majorité des pièces qui constituent *Le Rossignol et autres fables* y ont été composées. Après la révolution bolchévique, qui dissuade Stravinsky de retourner en Russie, il choisit la France, où il résidera de 1919 à 1939, dont les cinq dernières années à Paris. De là, il entreprend de nombreuses tournées en Europe et aux États-Unis, pour y présenter ses œuvres, qu'il interprète au piano ou qu'il dirige. En 1939, il s'installe aux États-Unis. Il ne retournera dans son pays natal qu'en 1962, pour une grande tournée. Il meurt auréolé de gloire à New York, à 88 ans, en 1971. Sa dépouille est enterrée à Venise, au cimetière de l'île San Michele, à quelques pas de celle de Diaghilev.

Pour mieux comprendre l'œuvre de Stravinsky, les musicologues font état de trois grandes périodes : russe, néoclassique et sérielle. Des partitions importantes témoignent de chacune d'entre elles. La première période est bien représentée dans *Le Rossignol et autres fables*. Une première mutation stylistique s'est produite dans les années 1920, et dura une trentaine d'années, pendant lesquelles le compositeur s'est nourri des époques baroques et classiques. Stravinsky intègre ces influences jusque dans les années 50, alors que son écriture connaît une nouvelle métamorphose. En effet, il embrasse sur le tard les préceptes de la musique sérielle, qui donneront naissance à ses derniers chefs-d'œuvre. Dans un style ou l'autre, Stravinsky a composé une quarantaine d'œuvres symphoniques, plusieurs œuvres concertantes, des partitions de musique de chambre, des mélodies et des pages pour piano.

Hormis celles déjà citées, mentionnons quelques œuvres pour chacune de ses trois périodes :
• russe : *Noces* (1914-1917), Scènes chorégraphiques;
• néo-classique : l'opéra-oratorio *Œdipus Rex* (1927) et le ballet *Apollon musagète* (1928), dont les sujets empruntent à la Grèce mythologique, et l'opéra *The Rake's Progress* (1951), dont Ex Machina a signé une nouvelle production en 2007[1]*;
• *In memoriam Dylan Thomas* (1954), et *Movements*, pour piano et orchestre (1959), exemples originaux de la manière sérielle.

* notes en page 59.

Rendre compte de l'ampleur du phénomène Stravinsky au XXᵉ siècle est une entreprise déconcertante. Esprit curieux de tout, le compositeur russe aura accueilli les influences les plus diverses : il emprunte éléments savants et populaires, tant ceux de sa propre culture russe (Moussorgsky, Scriabine, le folklore slave), que ceux de la culture occidentale (Debussy, Satie, le jazz). Il a en outre participé, même si de façon passagère, à la même quête orientaliste que celle de ses amis et contemporains Debussy et Ravel. Tous ces éléments amassés à gauche et à droite, le compositeur les amalgame à son discours hautement personnel au moyen d'une langue musicale reconnaissable entre toutes au XXᵉ siècle, langue admirablement servie par des dispositifs instrumentaux rutilants et originaux. L'élément le plus immédiatement décelable de la langue de Stravinsky est sans contredit la rythmique : le mètre sans cesse changeant et l'accentuation irrégulière de sa trame musicale sont en effet devenus emblématiques de son art. Incidemment, bien des compositeurs de l'entre-deux-guerres, gagnés par la verve de Stravinsky, auront donné dans une certaine agitation rythmique (Orff, Copland, Milhaud, Poulenc, Hindemith) et tenté d'approcher la virtuosité du compositeur russe en ce domaine, sans cependant l'égaler. La plasticité extrême de sa rythmique, Stravinsky l'aura développée, d'une part, en faisant correspondre de près sa musique aux exigences des chorégraphies hautement novatrices des Ballets russes de Diaghilev et, d'autre part, en étudiant les mélodies paysannes slaves intégrées à la musique du Sacre du Printemps, mélodies aux contours archaïques, situés aux antipodes de la tradition musicale savante occidentale.

À terme, l'invention de Stravinsky se sera révélée féconde. Après le décloisonnement, dans le domaine de la formation des accords, opéré par Claude Debussy (1862-1918) au tournant du siècle, Stravinsky aura à son tour, par la remarquable impulsion donnée au domaine du rythme, contribué de façon majeure au développement d'une nouvelle syntaxe musicale au XXᵉ siècle.

Pierre Grondines
Musicologue, chef de chœur et professeur

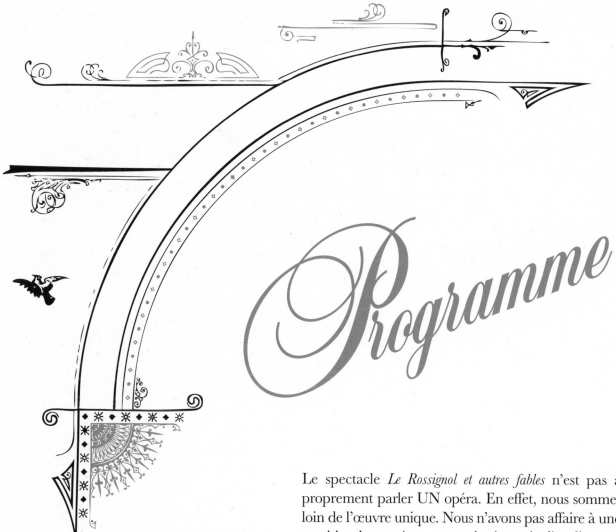

Programme

Le spectacle qui en émerge, toutefois, est assurément DE l'opéra.

Robert Lepage et Ex Machina se sont intéressés au Stravinsky de l'époque russe. L'écriture entière du programme s'étale sur moins de dix ans : 1908, année du début de l'écriture de *Rossignol*, à 1918, fin de la composition de *Ragtime*. Le corpus exploré pour *Le Rossignol et autres fables* couvre une courte partie de sa vie créatrice, à peine une décennie, période exception-nellement féconde. Pendant qu'il créait ses premiers ballets, Stravinsky composait aussi d'autres œuvres pour la scène, des cycles de mélodies, des partitions orchestrales et lyriques, qui forment le programme de ce spectacle.

À travers ces partitions, les spectateurs ont le loisir de découvrir de nombreuses facettes de sa personnalité musicale :
• « essai de portrait du jazz » comme le dit le compositeur de *Ragtime*;
• tradition russe des mélodies et des chants paysans;
• musique paysanne et rythmes débridés de *Renard*;
• formidable évolution stylistique dans *Le Rossignol*;
• instrumentation non traditionnelle pour plusieurs partitions.

Le spectacle *Le Rossignol et autres fables* n'est pas à proprement parler UN opéra. En effet, nous sommes loin de l'œuvre unique. Nous n'avons pas affaire à une partition homogène, construite à partir d'un livret et d'une musique écrits en connivence. Ce programme est né à partir de l'opéra *Le Rossignol*, auquel se sont ajoutés, dans l'ordre, *Renard*, les mélodies regroupées sous le titre des *Fables*, *Ragtime*, enfin les pièces pour clarinette. Le tout s'est construit de la fin vers le début, à la manière d'un collage, sur la base d'affinités : même compositeur, univers animalier, années de composition, effectifs instrumentaux.

Ragtime

Pour flûte, clarinette, cor, cornet à pistons, trombone, percussion, cymbalum, 2 violons, alto et contrebasse.
Composition : 1917-1918.
Création : 27 avril 1920, Londres.
Durée : 4 minutes.

Stravinsky a nourri son écriture d'emprunts à différents styles musicaux. Cette ouverture d'esprit est perceptible dans *Ragtime*. Le rag a fait fureur aux États-Unis dans les années 1900, grâce notamment à Scott Joplin. Curieux de nature, Stravinsky a découvert ce genre et, plus largement, le jazz, après la Première Guerre mondiale.

Une partition écrite immédiatement après avoir composé L'Histoire du soldat. *Bien que de dimensions modestes, elle est significative par l'appétit que me donnait alors le jazz, jailli d'une façon si éclatante après la guerre 14-18. Sur ma demande, on m'avait envoyé toute une pile de cette musique qui m'enchanta par son côté réellement populaire et par la fraîcheur et la coupe encore inconnue de son mètre, langage musical révélant ostensiblement sa source nègre. Ces impressions me suggérèrent l'idée de tracer un portrait-type de cette nouvelle musique de danse, et de lui donner l'importance d'un morceau de concert, comme autrefois les contemporains l'avaient fait pour le menuet, la valse, la mazurka, etc. Voilà ce qui me fit composer mon* Ragtime *pour onze instruments : instruments à vent, à cordes, percussion et un cymbalum hongrois.*

Igor Stravinsky [2]

Portrait d'Igor Stravinsky (dessin de Léon Bakst), 1915.

Les Fables

Pribaoutki
Pour mezzo-soprano, flûte, hautbois, (cor anglais),
clarinette, basson, violon, alto, violoncelle et contrebasse.
Composition : 1914.
Création : 1918, Paris.

Deux Poèmes de Konstantin Balmont
Sur des textes de Konstantin Balmont[3].
Pour soprano, 2 flûtes, 2 clarinettes, 2 violons,
alto, violoncelle et piano (arrangement de 1954).
Composition : 1911.

Les Berceuses du chat
Quatre chants sur des textes populaires russes.
Pour contralto et 3 clarinettes.
Composition : 1915.
Création : 1918, Paris.

Quatre chants paysans russes
Pour chœur de femmes et 4 cors.
Composition : 1917 (arrangement en russe avec cors de 2009).
Création (version originale) : 1917.

Durée des *Fables* : environ 15 minutes.

Tout au long de sa carrière, Stravinsky a écrit onze cycles de mélodies. Peu sont très connus, mais plusieurs sont magnifiques. Les mélodies qui composent les *Fables* nous plongent dans l'univers paysan de la Russie, qui a baigné l'enfance du compositeur. Ces pages sont moins complexes que les ballets ou *Le Rossignol*. Les ensembles instrumentaux sont toutefois originaux : *Pribaoutki* pour deux quatuors, à vent et à cordes; les poèmes de Balmont, pour la même formation avec piano; les *Berceuses*, pour contralto et trois clarinettes; les chants paysans pour chœur de femmes et cors. *Pribaoutki* réfère directement au nom des fabliaux russes, qui ont nourri la tradition depuis le Moyen Âge, recensés par milliers depuis la seconde moitié du XIXe siècle. L'univers de la douzaine de mélodies retenues est narquois, fantaisiste, saugrenu. On y découvre une surprenante galerie de personnages : humains, animaux, fleurs, qui vivent de bien curieuses aventures.

Trois pièces pour clarinette seule

Composition : 1918.
Création : 8 novembre 1919, Lausanne.
Durée : 4 minutes.

Ces trois pièces, comme *Ragtime*, sont dans la veine jazz du compositeur. Elles réfèrent à Sydney Bechet, le grand clarinettiste né à La Nouvelle-Orléans en 1897. Chacune des trois pièces développe sa propre ambiance, marquée par des tempi distincts, dans une écriture qui met en valeur le timbre de la clarinette. La première pièce est lente, empreinte d'un lyrisme nostalgique; une sorte d'évocation nocturne sur un thème en mineur. La seconde, dans un registre plus aigu, est plus joyeuse. La dernière du trio, pleine de virtuosité, évoque un *blues* spectaculaire.

Histoire burlesque faisant appel à des mimes, chanteurs et musiciens, *Renard* plonge dans les racines russes de Stravinsky. Le compositeur a écrit lui-même son livret, dont il a tiré la matière de contes traditionnels russes compilés par Alexandre Nikolaïevitch Afanassiev, éminent folkloriste du XIXe siècle. À partir des années 1850, Afanassiev a recueilli des centaines de contes traditionnels, contribuant ainsi à la préservation et à la propagation de cette culture. Son influence a été ressentie longtemps après sa mort. Comme la plupart des familles d'artistes et d'intellectuels de cette époque, celle de Stravinsky connaît les travaux d'Afanassiev. Le compositeur en devenir s'est familiarisé avec ce corpus folklorique, qui fait la part belle aux fabliaux animaliers. Outre *Renard*, les arguments de *L'Oiseau de feu* et de *Petrouchka* trouvent leur origine dans les ouvrages du folkloriste décédé en 1871.

Dans cette tradition, Mère Renard est le personnage central de plusieurs contes. Rusée, fourbe, elle met son intelligence au service de son estomac. Elle ourdit des stratagèmes pour obtenir sa pitance, c'est-à-dire bouffer quelque volaille de basse-cour, idéalement le coq, qu'elle pourchasse de ses faveurs. Dans la production d'Ex Machina, l'animal apparaît à trois reprises pour attraper le coq. Celui-ci se laisse berner par le discours du renard, un peu à la façon du corbeau qui perd son fromage chez La Fontaine. D'ailleurs, le renard du folklore russe rejoint sur plusieurs aspects celui de la tradition ouest-européenne[4]. Dans la troisième scène, le chat et le bouc, qui sont les alliés du coq dans la basse-cour, attrapent Mère Renard et la découpent en morceaux. Quelques interludes se glissent ici et là dans le livret, inspirés des *pribaoutki*, brefs récits fantaisistes découverts dans les *Fables*.

Renard

Histoire burlesque chantée et jouée.
Musique et livret de Igor Stravinsky.
Pour 2 ténors et 2 basses, avec flûte, hautbois, clarinette, basson, 2 cors, trompette, timbales, percussion, cymbalum, 2 violons, alto, violoncelle et contrebasse.
Composition : 1915-1916.
Création : 18 mai 1922, Opéra de Paris.
Durée : 20 minutes.

Stravinsky, qui aimait le cirque, le théâtre de tréteaux, puise aussi dans la tradition de son pays pour la forme de ce conte musical. Les *skomorochi*, chansonniers, clowns et acrobates de l'empire, parcouraient la Russie pour notamment jouer ce type d'histoires.

Stravinsky habitait en Suisse, en 1915, quand il entama la composition. L'œuvre, commande de la Princesse de Polignac, fut terminée l'année suivante. *Renard* n'est ni un opéra ni un ballet. Stravinsky disait que c'était une sorte de cantate de chambre jouée avec une action mimée, ce que corrobore le fait que les chanteurs ne jouent pas de personnages. Réfugiés en Suisse pendant la guerre, comptant sur peu de moyens pour diffuser son art, le compositeur et ses collaborateurs, notamment l'écrivain Ramuz, tentaient alors de ressusciter le théâtre ambulant.

Dans le petit orchestre, Stravinsky utilisa pour la première fois le cymbalum hongrois, présent aussi dans *Ragtime*. Instrument à cordes de la famille du tympanon, le cymbalum est connu dès le XVIe siècle en Hongrie, qui en fait son instrument national au XIXe. Le compositeur a découvert cet instrument à Genève en 1915, après quoi il en commanda un. Le cymbalum ajoute une couleur très spéciale, que devait à l'origine apporter le gusli – instrument folklorique russe – dont Stravinsky ne trouvait pas d'exemplaire. Tout cela dénote la curiosité du compositeur pour les instruments moins connus, exotiques. Fait inusité : Stravinsky a utilisé le cymbalum, en plus du piano, pendant la composition de *Renard*. Outre cet instrument, presque soliste, les vents – surtout les bois – jouent avec les chanteurs un rôle très actif dans le développement des mélodies. Les cordes sont confinées à un rôle rythmique et d'articulation. Ce fut encore sous l'égide de Diaghilev et des Ballets russes que cette partition fut créée sur scène, à l'Opéra de Paris, en 1922. Bronislava Nijinska, la sœur de Nijinsky, a signé la chorégraphie originale.

La pièce est jouée par des bouffons, des danseurs ou des acrobates, de préférence sur des tréteaux, l'orchestre placé derrière. Au cas où la pièce serait montée au théâtre, on la jouera devant le rideau. Les personnages ne quittent pas la scène. Ils viennent l'occuper en présence du public, aux sons de la petite marche qui sert d'introduction, et sortent de la même façon. Les rôles sont muets. Les voix (2 ténors et 2 basses) sont dans l'orchestre.

Igor Stravinsky [5]

Rossignol

Conte lyrique en trois actes, pour solistes,
chœur et orchestre.
Livret de Stepan Stepanovitch Mitoussov
et Igor Stravinsky, d'après le conte de
Hans Christian Andersen.
Composition : 1908-1914.
Création : 26 mai 1914, Opéra de Paris.
Durée : 45 minutes.

Quand Stravinsky entreprend la composition de son premier opéra, en 1908, le monde du conte et de la fantaisie est très présent dans l'univers artistique et intellectuel russe. À la même époque – et ce n'est pas une surprise dans ce contexte – Hans Christian Andersen est pour les Russes une figure littéraire majeure. De là à s'inspirer du conte *Le Rossignol* pour un opéra, il n'y a qu'un pas. D'autant que le sujet de ce conte, qui donne le beau rôle à la musique, est une matière lyrique de premier plan.

Andersen a écrit son récit dans les années 1840, après avoir fait connaissance avec la soprano Jenny Lind, que l'on surnommait « le rossignol suédois ». Lind vint chanter pour le roi du Danemark en 1843. Celui-ci en tomba amoureux et tenta de la garder à ses côtés, mais la soprano refusa pour poursuivre sa carrière. Cet épisode est en quelque sorte calqué dans le conte, puis dans l'opéra. En effet, notre empereur de Chine n'agit pas différemment avec le rossignol. La métaphore va plus loin, puisque Andersen s'est aussi épris de la chanteuse. Après le roi, la soprano refusa toutefois aussi les avances du grand écrivain danois. Tous deux restèrent amis, cependant. Et Andersen, dont les compatriotes préféraient l'opéra italien, demeura un ardent défenseur de la cantatrice, qui chantait surtout le répertoire allemand. Certains prétendent aussi que, pour ce conte, Andersen aurait pu s'inspirer d'un opéra du compositeur français Auber, *Le Prince de Chine*, donné à Copenhague quelques années plus tôt. Le fait est que Andersen, comme tant d'autres à cette époque, succombait tout à fait à la mode des *chinoiseries*, dont nous traiterons plus loin.

Composé en Russie en 1908 et 1909, le premier acte du *Rossignol* est empreint d'une ambiance feutrée, féérique. Les deuxième et troisième actes ont été écrits en 1913 et 1914. Entre les deux, le compositeur a connu une évolution remarquable. Un important fossé stylistique existe donc entre le premier acte et les deux suivants. En effet, c'est en 1909 que Diaghilev propose à Stravinsky d'écrire *L'Oiseau de feu*. La vie du compositeur bascule : il met de côté son opéra et livre en quatre ans ses trois premiers ballets. Il reprend *Rossignol* en 1913, quand le Théâtre libre de Moscou lui propose d'achever son opéra pour le créer à la scène.

J'hésitais à reprendre cet opéra. Seul le premier acte existait, que j'avais écrit quatre ans auparavant. Mon langage musical s'était considérablement modifié. Je redoutais que la musique des tableaux suivants, par son nouvel esprit, tranchât trop avec celle déjà composée. Je fis part de mes hésitations aux directeurs du Théâtre Libre. Mais ils insistèrent pour un opéra entier et finirent par me persuader. Je me suis dit qu'il ne serait pas illogique que la musique du premier acte revête un caractère différent des suivants. La forêt avec son rossignol, l'âme candide du pêcheur qui s'éprend de son chant, toute cette douce poésie d'Andersen ne pouvait être rendue de la même façon que la somptuosité baroque de cette cour chinoise avec son étiquette bizarre, avec cette fête de palais, ces milliers de clochettes et de lanternes, ce monstre bourdonnant qu'est l'oiseau mécanique japonais, bref toute cette fantaisie exotique, qui, naturellement, exigeait un autre discours musical

Igor Stravinsky [6]

Ce n'est toutefois pas sur les planches du Théâtre libre que la partition verra le jour. En effet, pendant qu'il est au travail, ce théâtre fait faillite. Qu'à cela ne tienne, Diaghilev intervient et reprend la production. La première a lieu à l'Opéra de Paris en 1914.

Dans cet opéra, on peut voir trois styles très différents, qui sont toujours liés avec divers moments de l'histoire personnelle de Stravinsky. Le premier acte est sur le thème de l'opéra lyrique. Très poétique, avec le pêcheur et l'apparition du rossignol. Le deuxième acte penche plutôt du côté du barbarisme. Les gens du chœur cherchent le rossignol, que veut entendre l'empereur. La musique est très énergique. Et aussi, en quelque sorte, baignée de l'esprit primitif. Enfin, dans le troisième acte, nous découvrons une nouvelle dimension. Le rossignol et l'empereur s'imbriquent, sont liés. La musique devient intérieure. Leur conversation est très sensible. Stravinsky amorçait alors un autre style.

Kazushi Ono
Directeur musical, Opéra de Lyon

Ce bref opéra est magnifique sur le plan vocal. Le rôle du Pêcheur, qui ouvre et ferme la partition, et qui ponctue les transitions d'un acte à l'autre, témoigne avec éloquence de la simplicité du personnage. Ses arias, dont l'ambitus est très limité, contrastent avec la musique qui représente la cour impériale et les Envoyés japonais, beaucoup plus complexe. La partie du Rossignol, surtout composée de vocalises, est spectaculaire.

Avec Le Rossignol, dont l'écriture est si difficile vocalement, il faut rester complètement en contrôle. Le rôle du rossignol est pour une soprano colorature au registre très aigu, stratosphérique, qui atteint fréquemment le mi le plus élevé... Je suis incapable de penser à cette hauteur. Une musique extraordinaire...

Rebecca Blankenship
cantatrice et conseillère musicale
pour les opéras d'Ex Machina

Au-delà du Pêcheur et du Rossignol, comment passer sous silence le trio Cuisinière, Chambellan et Bonze, qui assure le lien dramatique avec la cour. Ou encore la brève scène des Envoyés japonais, qui chantent dans un style dont le rythme et le staccato surprennent. Même chose pour les chœurs, dont les parties du deuxième acte sont saisissantes. Qu'il s'agisse des préparatifs de la fête, des réactions à la danse des dragons ou au chant du Rossignol, la partie chorale témoigne à merveille de l'ambiance et du flux dramatique. Dans le troisième acte, les Esprits et la Mort participent à une scène poignante avec l'Empereur et le Rossignol.

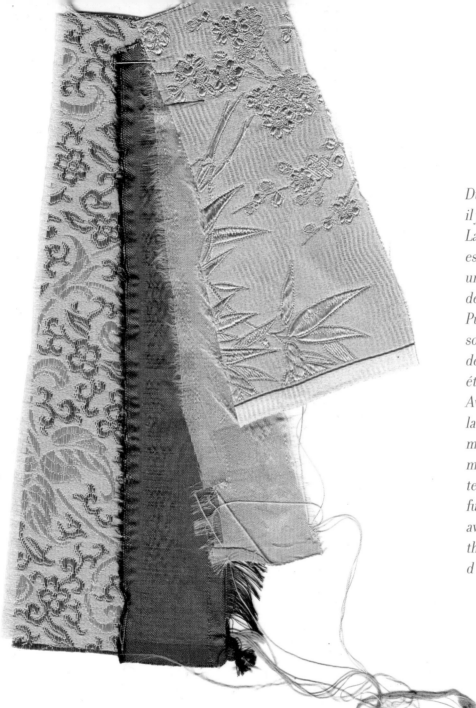

Du début à la fin du spectacle,
il y a une évolution stylistique.
La première partie, celle des Fables,
est en noir et blanc. Elle fait appel à
un théâtre très primitif, spontané, à
des silhouettes de doigts et de mains.
Puis vient Renard, qui est déjà plus
sophistiqué. Pour ces deux segments
de la production, notre inspiration a
été notamment russe et paysanne.
Avec Le Rossignol apparaît enfin
la couleur, et notre concept est un
mélange à trois dimensions de
marionnettes inspirées d'Asie et de
techniques modernes. Comme si, au
fur et à mesure que le spectacle
avance, nous passions des origines du
théâtre au langage marionnettique
d'aujourd'hui.

Robert Lepage

CHORUS : Court Look
Variations #3

more traditional look
of tunic over trousers

black slipper shoes

MATIÈRE II SCÉNIQUE

Le Rossignol et autres fables est le fruit d'un processus de maturation qui s'étend sur plusieurs années. Première remarque significative, la production s'est développée de la fin du spectacle vers le début, soit du *Rossignol* vers les *Fables*, en passant par *Renard*. C'est donc avec *Le Rossignol*, joué après l'entracte, que le dispositif scénique et la palette marionnettique de tout le programme se sont imposés. Ce processus donne une indication du caractère organique, intuitif, qui guide Robert Lepage et ses collaborateurs dans le choix des œuvres qu'ils portent à la scène, ainsi que dans l'élaboration du concept des spectacles.

Après *The Rake's Progress*, cette production est la seconde incursion de Robert Lepage et Ex Machina dans l'œuvre d'Igor Stravinsky. L'intérêt de Lepage pour ce grand compositeur du XXe siècle est venu par Jean Cocteau, au moment où le dramaturge créait *Les Aiguilles et l'opium*. Cocteau, pour qui Lepage manifeste une grande admiration, était proche de Stravinsky, appréciait beaucoup sa musique. Le compositeur russe et le poète français se sont connus dans les années 1910, et Stravinsky a fait appel à l'écrivain, dans la décennie suivante, pour le livret de l'opéra-oratorio *Œdipus Rex*.

GENÈSE DU PROJET

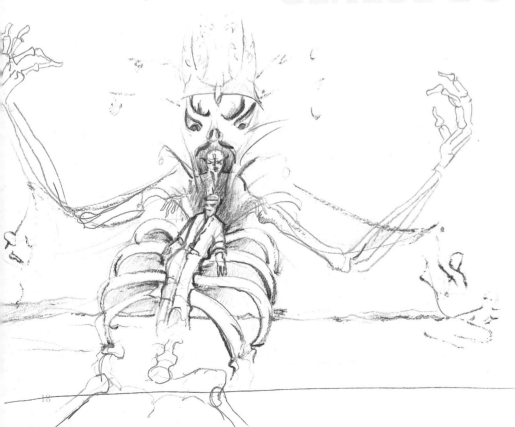

J'ai découvert combien Stravinsky est théâtral. Je perçois cela dans la manière dont il utilise la voix, entre autres quand vient le temps de faire chanter un rossignol, un renard ou un diable. Il est très sensible et représente les personnages de manière poétique. Dans The Rake's Progress, *j'ai été particulièrement frappé par la manière dont Stravinsky joue avec le personnage de Nick Shadow, ce Méphisto moderne. Stravinsky le fait parler de manière très particulière. C'était sa première partition en anglais. La musique de cet opéra de 1951 brise plusieurs règles de la prosodie anglaise. Il utilise cela à son avantage lyriquement, musicalement. Pour moi, cette approche est excitante. Elle révèle davantage le sous-texte que contient la musique.*

Quand un metteur en scène dirige un chanteur sur une partition de Stravinsky, il n'est pas nécessaire de chercher des idées ailleurs que dans la partition. Vous lisez la partition et le livret. Vous créez le personnage à partir de la musique. C'est très clair, très précis, en même temps éclaté, poétique...

Robert Lepage

Marionnettes et opéra

Robert Lepage s'intéresse à la marionnette depuis longtemps. Plusieurs de ses créations ont d'ailleurs fait appel à cette discipline.

Au début de ma carrière, à Québec, j'ai beaucoup appris avec Josée Campanale, qui dirigeait alors les Marionnettes du Grand Théâtre[7]. Josée m'a surtout enseigné la dimension poétique de la marionnette. Elle m'a montré que cet art pouvait être bien autre chose que du guignol. La marionnette véhicule une forme poétique très ouverte que l'on peut inviter dans le théâtre, dans la danse, dans l'opéra. À cette époque, j'ai aussi compris que la marionnette permet de libérer l'interprète de son corps. Elle peut, par exemple, s'affranchir de la gravité pour voler ou subir les pires sévices ; elle est pratiquement sans limites. Cette libération du corps de l'interprète trouve une résonance particulière à l'opéra, un univers où les chanteurs sont justement soumis à des limitations strictes pour assurer la qualité de leur chant. Avec la marionnette, ce problème est évacué : un chanteur pourrait, par exemple, faire courir son personnage tout en chantant sans avoir de problème de souffle ou de voix.

Robert Lepage

Pendant qu'il travaille à la création de l'opéra *La Damnation de Faust*, pour le festival Saito Kinen de Matsumoto, au Japon, Robert Lepage visionne une captation de l'opéra-oratorio *Œdipus Rex*, de Stravinsky, mis en scène pour ce festival par Julie Taymor avec le concepteur de marionnettes américain Michael Curry.

L'art de la marionnette et l'opéra semblent de prime abord aux antipodes l'un de l'autre. Toutefois, si on y regarde de plus près, ces deux disciplines ont plusieurs raisons pour se lier d'amitié. En fait, certains opéras, ou scènes d'opéra, trouvent dans la marionnette des solutions très bien adaptées. La marionnette crée son propre univers, pétri de conventions, loin du réalisme. L'opéra ne fonctionne pas autrement.

Dans cet Œdipus Rex, c'était un exercice stimulant de voir des chanteurs comme Jessye Norman, dans le rôle de Jocaste, manipuler des marionnettes géantes. Son corps était comme amplifié par des appendices marionnettiques sur la tête, ou qui prolongeaient ses bras. Et elle chantait cette musique si émouvante. De la manière dont l'histoire était contée, la marionnette devenait un partenaire intime du chant, du chanteur, de la musique. Cette production d'Œdipus Rex m'a convaincu de me lancer dans un projet de marionnettes à l'opéra.

Robert Lepage

Pendant quelques années, Lepage a cherché discrètement une occasion, un prétexte pour inviter la marionnette à l'opéra. Une piste naturelle lui a semblé être que les personnages de la partition soient des animaux. La marionnette devenait une solution évidente. C'est en cette direction qu'il a donc fait de l'écoute, jusqu'au moment où il a découvert *Le Rossignol*. Rapidement, *Renard* est apparu comme un complément. Cette pantomime est d'ailleurs souvent couplée avec *Le Rossignol* à l'affiche des maisons d'opéra.

Le Rossignol et autres fables *est une création hybride, qui me donne l'impression d'un « world theater », comme il y a la « world music ».*

Michael Curry

Le metteur en scène et le marionnettiste

En 2004 et 2005, Robert Lepage et Michael Curry, concepteur des marionnettes pour la production *Œdipus Rex* dont nous venons de parler, travaillent ensemble pour la première fois, sur *KÀ*, du Cirque du Soleil, à Las Vegas. Après la première, les deux créateurs veulent développer un projet commun. Lorsque leur choix s'arrête sur *Le Rossignol*, Curry réalise une série d'esquisses empreintes de cet univers.

Comme Robert cherche souvent à explorer de nouveaux territoires, et que mon travail marionnettique l'intéressait, il m'a demandé ce que j'aimerais faire si on développait un projet ensemble. Il a proposé de monter Le Rossignol. *Cet opéra de Stravinsky traduit à merveille le conte d'Andersen. D'emblée, Robert et moi avons été intrigués par un détail dans le livret du* Rossignol *: on y parle d'un royaume situé sur le bord de l'eau. Cette simple phrase a orienté notre concept vers l'eau. J'aimais bien l'idée, dès le départ, que cet opéra se déroule sur le bord de l'eau.*
Michael Curry

En route pour le Vietnam

Début 2007, Robert Lepage, Michael Curry et Martin Genest – qui signera la chorégraphie des marionnettes – séjournent au Vietnam. Objectif artistique de ce voyage : se familiariser avec les marionnettes d'eau, tradition née dans les rizières autour de l'an mille. L'idée de s'inspirer de cette pratique était déjà dans l'air, mais Lepage et Curry voulaient voir sur place dans quelle mesure elle était artistiquement pertinente. Dans cette technique populaire, les concepteurs trouvent écho à la première scène du *Rossignol*. Tout le concept du spectacle découle de cette image du pêcheur sur un lac, dans sa barque, qui écoute le rossignol chanter pendant la nuit.

Peu après ce voyage, Robert Lepage précise quelques intentions à ses collaborateurs.

Le Rossignol sera le point culminant du programme. Les principales sources d'inspiration seront asiatiques. L'aire de jeu rappellera le bassin des marionnettes d'eau du Vietnam. Le concept sera développé en trois dimensions, pleine couleur, sur le plan horizontal.

Renard devrait être présenté en premier et construit en opposition avec *Le Rossignol*. Plutôt d'inspiration russe, la pantomime fera appel au théâtre d'ombres, qui implique un plan vertical en aplat, donc deux dimensions et une palette limitée de couleurs. Les personnages, des animaux, seront construits par des interprètes et des découpes marionnettiques.

Le Rossignol sera le volet yin de la soirée, alors que *Renard* en sera le volet yang.

Pour *Le Rossignol*, les concepteurs souhaitent que l'échelle évolue au long de la partition. Le premier acte – sur le plan d'eau du Pêcheur – proposera une imagerie de miniature chinoise. Les marionnettes du palais impérial seront plus grandes. Alors que l'Empereur malade, au troisième acte, sera le chanteur même et que la Mort sera surdimensionnée par rapport au chanteur. Trois échelles, pour atteindre à la fin un ratio 1:1. Lepage évoque le Musée d'anthropologie d'Osaka, au Japon, où les périodes les plus anciennes sont évoquées dans une petite dimension, alors que l'époque actuelle est au ratio 1:1. Cela donne une perspective différente aux choses.

Le metteur en scène souhaite que les marionnettes puissent être manipulées en partie par les chanteurs, auxquels s'ajouteraient des marionnettistes de métier. *Renard* sera joué aussi en Asie, mais plutôt dans les régions nordique et russe. Le style de la musique pousse naturellement dans cette direction.

Ces premières intuitions étaient fortes et justes, ce dont témoigne la production finale, où l'essentiel de ces idées a pris forme.

Architecture ancienne (ci-haut) et contemporaine du théâtre d'eau du Vietnam.

Démarrer la production

Il faudra attendre le printemps 2007, à Bruxelles, pour que le projet soit définitivement sur les rails. En effet, pendant qu'Ex Machina répète *The Rake's Progress* au Théâtre royal de la Monnaie, Bernard Foccroulle, alors directeur de cet opéra, démontre un réel intérêt pour cette nouvelle proposition. Puisqu'il prend à compter de 2008 la tête du prestigieux Festival d'Aix-en-Provence, en France, c'est à ce titre qu'il s'engage à produire le spectacle et qu'il pilote les démarches pour y associer des coproducteurs. Dans les mois qui suivent, Canadian Opera Company (Toronto) et l'Opéra de Lyon s'impliquent.

Forte de l'apport de ces partenaires, l'équipe de concepteurs et de production peut se mettre à l'œuvre. Pour la scénographie, Lepage fait appel à Carl Fillion, dont le talent et l'expertise sont tout indiqués. Depuis le début des années 90, le duo a réalisé plus de quinze productions théâtrales, lyriques et circassiennes. Ensemble, ils ont relevé avec brio plusieurs défis scénographiques singuliers. Pour ce nouveau projet, les premières études de Fillion sont rapidement suivies de visites des théâtres intéressés et d'analyses techniques. Avant toute chose, il importe de résoudre cette équation : comment convertir les fosses d'orchestre de plusieurs maisons d'opéra en bassin contenant des dizaines de milliers de litres d'eau[8].

Pour compléter l'équipe de création, Lepage invite Mara Gottler, conceptrice de costumes de Vancouver, reconnue pour son travail au Bard on the Beach Shakespeare Festival de cette ville, qu'elle a contribué à fonder. Etienne Boucher concevra l'éclairage, lui qui travaille régulièrement avec le metteur en scène, au théâtre et à l'opéra, depuis 2004 (*La Celestina*, *The Rake's Progress*, *Lipsync*, *Der Ring des Nibelungen*). L'assistance à la mise en scène est confiée à Sybille Wilson, qui vit en France. Elle a assumé la même tâche pour la production *The Rake's Progress*.

En parallèle, la construction du programme se poursuit. *Le Rossignol* et *Renard* totalisent à peine une heure de musique, programme trop court pour les maisons d'opéra. Question de donner plus de corps à la soirée, Ex Machina discute des pièces à ajouter avec Bernard Foccroulle et avec le chef Kazushi Ono. Aix propose plusieurs partitions écrites par Stravinsky dans les années 1910, soit la même période que *Le Rossignol* et *Renard*. Elles font appel à des effectifs proches de ceux requis pour *Renard*, afin de réduire au minimum les changements d'instrumentistes pendant la première partie. Parmi ce corpus, *Ragtime* s'impose rapidement à titre de prologue. À l'été 2008, quatre cycles sont retenus parmi les nombreuses mélodies proposées : *Pribaoutki*, *Deux poèmes de Konstantin Balmont*, *Les Berceuses du chat* et *Quatre chants paysans russes*. Au-delà de la qualité musicale de ces partitions, le répertoire russe est privilégié pour des raisons de cohérence. À cet égard, il est alors décidé que tout le programme sera chanté en russe. Question de bonifier la première partie, s'ajoutent enfin les trois pièces pour clarinette. Selon ce qu'en dit Bernard Foccroulle, elles serviront à rythmer cet ensemble de mélodies; elles ajouteront une respiration.

Reste à trouver un titre pour ce programme inédit. Les coproducteurs se rallient rapidement à *Le Rossignol et autres fables*, une suggestion d'Ex Machina.

L'équipe a finalement entre les mains la matière musicale et poétique de cette production, ainsi que sa pierre d'assise scénographique. Dans un bassin évoquant les marionnettes d'eau du Vietnam, le moment est venu de cultiver la rencontre de la marionnette avec l'opéra.

Une partie de mon travail a été de rendre ce projet possible grâce à des coproductions. Le Festival d'Aix n'aurait jamais pu porter seul un projet aussi ambitieux. Très vite, Richard Bradshaw, le directeur du Canadian Opera Company, à Toronto, m'a dit son désir de coproduire ce projet, et je me souviens d'une rencontre très chaleureuse baignée par la lumière provençale, quelques semaines avant son décès inopiné, en juillet 2007. Son successeur, Alexander Neef, a été heureux de confirmer cet engagement, et Serge Dorny, directeur de l'Opéra de Lyon, s'y est associé également. Nous avions aussi compté sur la participation d'autres maisons, mais beaucoup de collègues étaient effrayés par le projet : remplir d'eau la fosse d'orchestre constitue un défi qui en décourageait plus d'un ! De fait, ici, la visibilité sur la fosse d'orchestre était insuffisante, et là, le poids des 65 tonnes d'eau exigeait un renforcement de la fosse d'orchestre... Vers 2008, inquiet des désistements, j'ai craint de ne pas arriver à réunir le financement nécessaire. Nous avons alors décidé, à la direction du Festival d'Aix-en-Provence, de prendre un risque non négligeable pour sauver la production. Fort heureusement, un an plus tard, Pierre Audi, directeur de l'Opéra d'Amsterdam, décidait de rejoindre le cercle des coproducteurs, nous apportant ainsi une aide appréciable. Notre souhait, aujourd'hui, est que cette production puisse voyager à travers le monde, et aller à la rencontre des publics les plus variés. Et notre rêve serait de pouvoir la présenter un jour à Hanoï... Qui sait ?

Bernard Foccroulle
Directeur général
Festival d'Aix-en-Provence

Travail d'exploration pour la pantomime de *Renard*.

Principales étapes d'une création

Cette production a été développée de janvier 2007 (voyage au Vietnam) à octobre 2009 (création à Toronto), avec un jalon supplémentaire en juin-juillet 2010 (Aix-en-Provence). Entre le moment où les coproducteurs ont confirmé le projet et la première à Aix, trois ans et demi ont passé. Cela peut sembler long, mais l'ampleur de telles productions demande du temps.

SEPTEMBRE 2007 : Laboratoire d'exploration – Caserne (Québec)
> Aménagement d'un premier bassin.
> Exploration artistique. Analyse technique du concept de base.

AVRIL 2008 : Laboratoire de création et de développement – Caserne (Québec)
> Aménagement d'un second bassin. Travail de création sur *Le Rossignol* et sur *Renard*.
> Validation des principaux paramètres scénographiques, des dimensions des marionnettes, de l'esthétique des costumes.

MAI 2009 : Validation + répétitions – Scène Éthique[9] (Varennes, près de Montréal)
> Livraison du décor et des principaux accessoires. Travail de mise en place sur *Le Rossignol*. Prototypes des principales marionnettes. Exploration sur *Renard* dans des conditions plus proches du spectacle.
> Présentation du travail aux coproducteurs.

SEPTEMBRE - OCTOBRE 2009 : Canadian Opera Company (Toronto)
> Répétitions avec les chanteurs, le chœur, les marionnettistes acrobates, la scénographie, les accessoires, les marionnettes, les costumes. Trois semaines en salle de répétition. Deux semaines sur le plateau.

14 OCTOBRE 2009 : Première au Four Seasons Center for the Performing Arts, Toronto

JUIN - JUILLET 2010 : Festival d'Aix-en-Provence
> Nouvelle phase de répétitions avec tous les interprètes, la scénographie, les accessoires, les marionnettes, les costumes. Une semaine en salle de répétition. Deux semaines sur le plateau.

3 JUILLET 2010 : Première au Grand Théâtre de Provence

OCTOBRE 2010 : Opéra de Lyon

MARS 2011 : Brooklyn Academy of Music, New York

AOÛT 2011 : Festival d'opéra de Québec

JANVIER 2012 : De Nederlandse Opera, Amsterdam

AVRIL 2012 : Opéra de Lyon

JUIN 2012 : Festival d'Athènes

« Dans le concept, il fallait voyager de la Russie paysanne à la cour de l'Empereur de Chine. Il y a vraiment trois différents segments, trois univers. Mes costumes devaient lier ces univers. Ma famille est d'origine slave. Cela m'a menée vers la Russie, source d'inspiration des Fables. L'introduction a nettement une saveur russe. Renard passe par la Mongolie, en route vers l'est. Nous achevons notre périple en Chine, au Japon, au Vietnam. Nous devons explorer toute cette géographie... »

Mara Gottler

UNE CHINOISERIE DU XXIᴱ SIÈCLE

L'Extrême-Orient exerce une grande fascination sur les artistes occidentaux. Avant les moyens de communication modernes et la démocratisation du voyage, les images de ces lointaines contrées se limitaient à des représentations artistiques ou aux témoignages de rares voyageurs. Ces sources ne donnaient pas une image précise, ni réaliste, de ce vaste continent qu'occupaient les puissances occidentales. Les Européens ne savaient pas vraiment ce qui s'y passait; et on fantasmait beaucoup sur ce qu'était l'esthétique chinoise ou japonaise. De la Renaissance au XVIIIᵉ siècle, par exemple, un important courant européen en arts décoratifs s'est inspiré d'une Chine imaginaire. Au XIXᵉ siècle, la littérature a connu sa période dite *orientaliste*, style auquel Hans Christian Andersen, le grand écrivain danois, a contribué. Quand Andersen a écrit *Le Rossignol*, dans les années 1840, il faisait de fréquentes visites aux jardins de Tivoli, à Copenhague, où il admirait particulièrement le théâtre en plein air, édifice aux allures de pagode chinoise. S'inspirant de cette architecture et d'une Chine fantasmatique, l'écrivain faisait à son tour du « faux chinois », une *chinoiserie*, comme on disait alors.

Un siècle et demi plus tard, Robert Lepage, parmi d'autres artistes occidentaux, ne s'est jamais caché de son grand intérêt pour l'Extrême-Orient, surtout la Chine et le Japon. Chez Ex Machina, ces influences sont perceptibles dans plusieurs productions, dont *La Trilogie des dragons*, *Les Sept Branches de la rivière Ota*, *Eonnogata* et *Le Dragon bleu*.

Les marionnettes d'eau ont vu le jour dans le delta du fleuve Rouge. On en trouve des traces jusqu'au XIIᵉ siècle. Cette pratique serait née dans les rizières, lors de fêtes associées à la récolte. Au fil des siècles, pour goûter au spectacle, les paysans s'asseyaient sur la rive des étangs. Maintenant, la représentation est surtout donnée dans un bassin aménagé devant des gradins. D'un côté, une plateforme sert aux musiciens. Au fond, derrière un rideau de bambou, les manipulateurs, cachés du public, ont de l'eau jusqu'à la taille. Les marionnettes, hautes de vingt à trente centimètres, sont sculptées dans des bois légers, dont le figuier. La flottaison est assurée par une petite planche, sur laquelle tient la marionnette. De la base part une tige de bambou, qui court jusque sous le rideau du fond. Des mécanismes simples, à cordes, s'ajoutent par exemple pour la rotation du corps ou pour articuler un bras. Tiges et cordes sont submergées. Les artisans fabriquent aussi des assemblages de plusieurs personnages, qui sont tractés comme sur une sorte de radeau, avec un système de cordes et poulies, toujours lié aux tiges. Ces groupes de marionnettes exécutent des danses, des combats, des figures acrobatiques.

Les spectacles sont généralement composés de courtes scènes villageoises, jouées par des figurines de paysans, avec leurs animaux : buffles, poissons, grenouilles, canards. Elles alternent avec des vignettes plus mytholo-giques, comme la danse des dragons, ou encore des combats épiques. Accompagnée de musique, l'action est sans paroles.

Cet art raconte encore aujourd'hui des histoires anciennes, paysannes, un univers qui n'est pas très éloigné des écrits d'Andersen. De là est venue l'idée, pour les concepteurs, d'aller au Vietnam voir cette technique et visiter les lieux.

En deux semaines là-bas, nous avons vu des spectacles, visité des théâtres, rencontré des maîtres, pour nous initier aux mystères et secrets de ce métier. Nous avons découvert que cette tradition bénéficie d'un tel statut - c'est un art sacré, pour eux - que personne n'ose vraiment sortir de la tradition, explorer hors de ce contexte ancien, protégé, rigide. Ce théâtre est devenu très touristique. Peu de compagnies sont en activité, parmi lesquelles encore moins modifient la tradition. Une d'entre elles ose sortir le montreur de sa chambre isolée. On le voit dans l'eau, hors du castelet. C'est presque une révolution...

Étant occidentaux, nous nous sommes sentis autorisés à extraire cette technique de son cadre historique, à utiliser son vocabulaire pour arriver à nos propres fins. Résultat, nous avons créé un hybride avec plusieurs traditions et techniques.

Martin Genest

Sans vouloir reproduire la tradition vietnamienne, j'ai cherché à trouver le sens que nous, aujourd'hui, gens de théâtre occidentaux, pouvons donner à cette tradition. Dans ma scénographie, on retrouve certains aspects de l'installation typique d'un théâtre vietnamien de marionnettes. Le bassin, bien sûr, en est l'élément central. Il y a aussi la plateforme à jardin, où sont les musiciens. Puis l'arbre est habituellement intégré au bassin. Il se trouve dans l'eau. Souvent, il s'agit de vrais arbres qui poussent tout près du théâtre.

J'ai épuré l'arrière du bassin, qui dans la tradition représente la façade d'une maison, faite en bambou, et qui masque les manipulateurs. Nous ne voulions pas cacher les interprètes. Nous avons donc déplacé les coulisses sous nos plateformes et laissé l'arrière du bassin dégagé. Au Vietnam, les musiciens sont situés sur le côté, alors que, pour nous, il était important que l'orchestre soit sur scène. Nous n'avions d'ailleurs pas tellement le choix... Nous avons une interprétation moderne de ce théâtre-là, inspirée de ce théâtre-là.

Carl Fillion

Les marionnettes traditionnelles sont construites en bois. On ajoute maintenant des flotteurs en styromousse, qui flotte mieux. Pour les protéger contre l'eau et l'usure, les artisans vietnamiens appliquent deux enduits : le premier est une sorte de goudron, l'autre est une peinture métallique, qui ajoute une couche de protection et la couleur. Tout est fait à la main. Pages suivantes : les marionnettes de Michael Curry.

Le processus de création a rapidement amené l'équipe de concepteurs à explorer au-delà des marionnettes d'eau du Vietnam. Au fur et à mesure que le concept évoluait, de nouvelles idées surgissaient, qui ouvraient la porte à d'autres langages, d'autres formes. Ainsi, le théâtre d'ombres indonésien, certaines marionnettes de Taïwan, la tradition japonaise du Bunraku, le folklore nordique de Russie ont convergé sur le plateau. En fin de compte, les concepteurs de *Rossignol et autres fables* n'ont pas agi différemment d'Andersen et de ses contemporains. Ils ont créé leur propre *chinoiserie*, même si, à l'époque du village global, le terme veut forcément dire autre chose.

Bunraku

Le bunraku, grand art du Japon, est né de la rencontre du conte, de la musique et de la marionnette. Le *ningyô-joruri* est un style de théâtre chanté pour petites marionnettes, narrateur et instruments musicaux à corde (le *biwa* et, plus tard, le *shamisen*) dont l'origine remonte au XV⁰ siècle. Au XVIII⁰, à Osaka, deux théâtres se livraient une concurrence féroce pour obtenir la faveur du public. Vers 1730, le grand maître Yoshida Bunzaburo transforma les poupées pour en faire ce qu'elles sont encore aujourd'hui. La petite figurine à manchon laissa place à de plus grandes marionnettes – hautes d'environ un mètre – manipulées par trois hommes chacune.

Le maître est au centre, monté sur des *geta* (sandales de bois). De la main gauche, il tient le manche qui prolonge le cou d'une tête en bois, manche sur lequel s'insèrent de petits leviers qui font mouvoir les yeux, la bouche, les sourcils, parfois même le nez. Sa main droite fait bouger le bras droit de la poupée, dont la main et les doigts sont articulés. Le premier acolyte manœuvre la main gauche de la marionnette. L'autre contrôle le mouvement des pieds. Pour atteindre la synchronisation souhaitée, les deux assistants s'astreignent à suivre le rythme respiratoire qu'impose le maître.

Les trois manipulateurs représentent autant de consciences, qui peuvent être soit de bonnes, soit de mauvaises consciences. Entre les manipulateurs, puis entre eux et la marionnette, se tisse une relation qui témoigne de la complexité de l'humanité. Même si les marionnettes sont petites, ce qu'elles racontent, ce qu'elles vivent, leurs émotions, leurs idées, sont plus grandes que nature.
Robert Lepage

Le nom de bunraku fait référence au théâtre Bunraku-za, à Osaka, haut-lieu de cette discipline de 1805 jusqu'à 1963. L'appellation a remplacé celle de *joruri* au début du XXᵉ siècle. Les tragédies bourgeoises et les drames historiques écrits aux XVIIᵉ et XVIIIᵉ siècles fondent aujourd'hui encore le cœur du répertoire du Théâtre national de Bunraku, qui a pris la relève du Bunraku-za. Cette compagnie dirige aussi un théâtre à Tokyo, et produit chaque année des tournées au Japon et à l'étranger. Près d'une centaine d'artistes y travaillent.

Scène de Bunraku.

Marionnettes de Taïwan

Dans le deuxième acte du *Rossignol*, chacun de la trentaine de choristes a sa propre marionnette, de format assez petit pour être dissimulée sous la manche du costume. Pour ces figurines en particulier, les concepteurs se sont tournés vers Taïwan, où s'est développée depuis des siècles une tradition de marionnettes à gaine. Ces personnages font de vingt à vingt-cinq centimètres de haut. Ils tiennent sur une main et ne sont pas articulés. Les maîtres diffusaient leurs spectacles de village en village, en utilisant de petits théâtres portatifs. Dans un spectacle, le montreur pouvait utiliser des dizaines de marionnettes, avec lesquelles il faisait preuve d'une grande virtuosité, pour raconter des histoires populaires ou épiques, tirées de l'histoire et de la littérature chinoises.

Cet art a bien failli disparaître à la fin du XIXᵉ siècle. Après la victoire du Japon sur la Chine, en 1895, le théâtre de rue a en effet été interdit sur l'île de Taïwan. Certains maîtres ont persévéré contre vents et marées. La renaissance de cet art, au milieu du XXᵉ siècle, a été possible grâce à eux. Des compagnies dont la démarche est plus contemporaine accompagnent aujourd'hui les représentations classiques du genre.

Le maître Li Tien-lu (1910-1998), reconnu dans son pays comme un trésor national, a incarné à merveille cette renaissance. Il est issu de la quatrième génération d'une

famille célèbre de marionnettistes. En 1931, il fondait sa propre compagnie, Yi Wan Jan, qui a contribué à la reconnaissance internationale de la marionnette de Taïwan. Infatigable défenseur de cette tradition, Li Tien-lu a formé une nouvelle génération de praticiens, notamment ses fils, à qui il a légué sa compagnie avant de mourir. Cette compagnie existe toujours, de même qu'un musée consacré à son œuvre. Li Tien-lu s'est surtout fait connaître en occident par sa participation au film *Le Maître de marionnettes*[10], qui raconte sa propre vie dans la première moitié du XXᵉ siècle, période traversée par tant de turbulences politiques et sociales.

Dans *Le Rossignol*, les marionnettes du chœur, qui incarnent les courtisans, n'ont conservé de Taïwanais que le format et leur allure générale. Tête, corps et costumes, très ornementés, sont fixés à une tige centrale, que l'interprète tient d'une main. Deux tiges se sont ajoutées, manipulées par l'autre main du marionnettiste, une pour chaque bras de la marionnette. Le résultat est un croisement de la tradition et de la modernité.

Théâtre d'ombres

Au théâtre d'ombres, l'action est incarnée par des silhouettes projetées par une source lumineuse sur un écran qui traverse le plateau. La source lumineuse est située derrière l'écran, entre celui-ci et le public. Les plus importantes formes connues sont les ombres chinoises *pi ying*, le *wayang kulit* d'Indonésie et le *karagöz* turc.

Art proche de la marionnette, le théâtre d'ombres a des origines très anciennes, pour certains en Chine, pour d'autres en Inde. C'est de là qu'à la faveur des grandes migrations, il aurait gagné le Proche-Orient. Utilisé d'abord à des fins religieuses (évoquer l'âme des morts) et d'exorcisme, il est rapidement devenu une forme séduisante de spectacle populaire, mettant en scène aussi bien de grands poèmes épiques que des satires politiques ou grivoises, comme ce fut le cas pour le célèbre *karagöz* de Turquie.

De nos jours, la tradition du théâtre d'ombres est surtout vivace en Asie : Chine, Cambodge, Thaïlande, Malaisie, Java, Bali. Il ne reste malheureusement que quelques compagnies en Turquie. On trouve aussi des créateurs et des compagnies intéressés par le théâtre d'ombres en Europe, en Afrique et en Amérique. Les créateurs contemporains s'inspirent des techniques historiques, mais aussi, souvent, les détournent ou, mieux, inventent de nouveaux langages. *Le Rossignol et autres fables* témoigne de ce courant actuel.

Ombromanie

Mieux connue en Occident, depuis la fin du XVIIIe siècle, sous l'appellation d'*ombres chinoises*, l'ombromanie se définit comme l'art d'utiliser ses doigts et ses mains pour créer des figures en utilisant la lumière d'un projecteur découpée sur un écran. La plupart des enfants ont tenté de représenter de cette manière un lapin, une tête de chien ou de chat, quoi d'autre encore... Cette discipline fait l'objet de nombreux livres et documents d'initiation pour la jeunesse. Elle ne provient toutefois ni du théâtre, ni de la marionnette, mais bien de la presti-digitation. En effet, chez les magiciens, l'ombromanie sert comme exercice pour développer la dextérité. Cette forme d'art a progressé d'ailleurs en bonne partie grâce à l'apport des magiciens, qui sont devenus des maîtres dans la création de silhouettes de plus en plus complexes.

Dans *Le Rossignol et autres fables*, cette discipline atteint une dimension particulière du fait que, pour créer divers tableaux animés accompagnant les *Fables*, cinq ombromanes sont mis à contribution. Pour atteindre les résultats désirés, Robert Lepage a invité Philippe Beau, magicien et ombromane français.

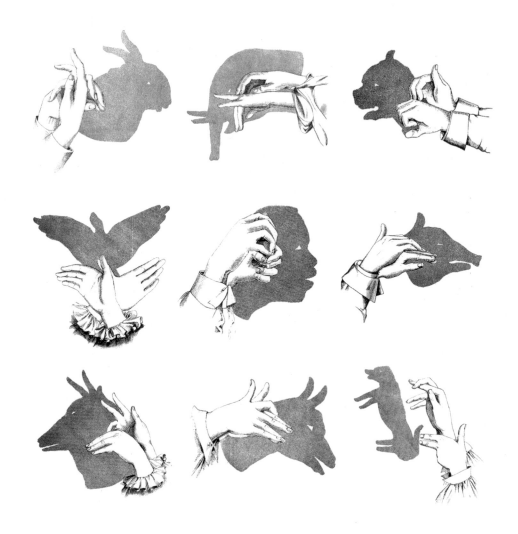

Les ombres chinoises sont la forme de spectacle la plus ancestrale qui soit. Des historiens ont écrit que les hommes préhistoriques les pratiquaient sur les murs des grottes, en utilisant le feu, le soleil ou la lune comme source de lumière. Selon ces mêmes historiens, un langage gestuel a existé avant l'apparition du langage articulé, ce qui révèle la nécessité profonde de l'être humain de communiquer, mais aussi de se donner un mode d'accès au récit. Selon moi, cette pratique exprime encore un besoin primordial chez l'être humain. Les ombres chinoises sont un langage universel, qui concerne certainement toutes les cultures. Robert Lepage a compris qu'il pouvait l'utiliser comme un système narratif d'une force évocatrice inégalable par rapport à l'économie des moyens mis en œuvre.

Philippe Beau

MATIÈRE III PREMIÈRE

Avant de s'offrir aux spectateurs de manière fluide, homogène, dans sa totale maîtrise, la matière scénique requiert un labeur intense. Ainsi, *Le Rossignol et autres fables* est le fruit d'un assemblage complexe, élaboré sur trois ans en plusieurs étapes. La production a fait appel à des disciplines variées, qui ne sont pas toutes usuelles dans le monde lyrique, comme en font foi ici le théâtre d'ombres et la marionnette.

Après le chapitre précédent, qui donne une vue d'ensemble du concept scénique, nous allons maintenant mieux voir comment les interprètes se sont coulés dans la mise en scène de Robert Lepage. Nous allons lever le voile sur certains aspects du travail touchant de plus près à la scénographie, aux costumes, à l'ombre ou à la lumière. Cela, afin de mieux comprendre comment s'écrit un tel spectacle et, aussi, comment s'articule la méthode de travail propre à Ex Machina.

MARIONNETTES CHERCHENT CHANTEURS

De manière générale, à l'opéra, les chanteurs savent leur partie par cœur dès le premier jour de répétition. Compte tenu du temps dévolu à la mise en scène, ce niveau de préparation est nécessaire. Pour *Le Rossignol et autres fables,* deux paramètres plutôt exotiques s'invitent, pourrait-on dire, dans le domaine de l'art lyrique : plusieurs solistes chantent dans l'eau, et leurs personnages respectifs se prolongent dans des marionnettes, que la plupart doivent manipuler. Au-delà de la musique, *Le Rossignol et autres fables* repose donc sur un équilibre de tous les instants entre les chanteurs, leurs marionnettes et les manipulateurs.

Dès le départ, les concepteurs sont conscients des efforts que cela va demander aux chanteurs. Il importe aussi de moduler en conséquence le déroulement des répétitions. Ainsi, avant d'approfondir le jeu, les chanteurs doivent apprivoiser les marionnettes.

Dans mon atelier, nous avons conçu intentionnellement des marionnettes dont la manipulation est plus intuitive que technique, dont l'apprentissage n'est pas trop complexe. Il n'était pas question d'imposer aux chanteurs l'équivalent d'apprendre le violon en cinq semaines. Nous voulions qu'ils puissent chanter librement, tout en manipulant.

Michael Curry

La première fois que les chanteurs prennent leur marionnette, ils ont tendance à résister. Ils estiment ne pas être des manipulateurs et pensent qu'ils ne sauront pas comment faire. Mais, dès la première séance de travail, une espèce de libération survient. Ils ont moins besoin de bouger, d'exprimer pendant qu'ils chantent. Je leur suggère d'adopter une approche un peu brechtienne, qui consiste à penser à la troisième personne, de chanter le personnage comme s'ils citaient quelqu'un. Ce changement de perspective donne lieu à toutes sortes d'interprétations. Les chanteurs deviennent plus ludiques avec la musique, avec l'expression, avec les mots. Donc, il y a cette transposition, cette distanciation, grâce à l'objet poétique qu'est la marionnette.

Robert Lepage

Leçon de marionnettes 101

À titre de chorégraphe des marionnettes, Martin Genest a la responsabilité d'initier les chanteurs – solistes aussi bien que choristes – à la marionnette. Dans un second temps, il pourra leur inculquer la chorégraphie du spectacle. Les premières sessions de travail consistent ainsi à faire l'apprentissage de la manipulation des marionnettes. Cette étape a lieu hors du décor, sans même la musique, devant de grands miroirs. Ce processus est sérieux, bien qu'il comporte une dimension ludique. Notamment, Genest amène les chanteurs à retrouver l'esprit de l'enfance, période pendant laquelle la grande majorité des gens s'amusent avec des marionnettes.

Pour donner vie à une marionnette, il faut faire plus que seulement la bouger. Il faut avoir du respect pour elle; établir une relation avec sa propre marionnette, celle que l'on manipule, et toutes celles du spectacle. Les solistes, le chœur ont eu ce respect, ce qui a donné de superbes résultats. Quelqu'un m'a dit : « Au début, par exemple avec le Pêcheur, je croyais que vous aviez triché, que ce n'était pas le chanteur qui manipulait. Quand j'ai constaté que c'était le ténor qui manipulait vraiment, je suis restée bouche bée. » C'est une preuve que l'intégration s'est bien faite. Nous avons réussi à transmettre l'amour et le respect de cet objet-là. Chanteurs et choristes se le sont approprié. C'était magnifique lors de la création, à Toronto, et ça évolue encore, puisque plusieurs chanteurs ont repris leur rôle à Aix, Lyon, New York. Au début, je n'étais pas certain qu'ils y arriveraient. Seraient-ils capables de chanter et de manipuler simultanément ? J'avais tort de douter...
Martin Genest

Le Rossignol, Acte 1 - première répétition dans la piscine

Généralement, Robert Lepage travaille la mise en place d'une scène par étapes, en ajoutant des couches successives. Avec Sybille Wilson, assistante à la mise en scène, c'est ainsi qu'il a procédé pour la plupart des scènes du *Rossignol*.

Après quelques heures d'apprentissage avec leurs marionnettes, les chanteurs du Bonze, du Chambellan et de la Cuisinière enfilent leurs combinaisons[11] et descendent dans le bassin. Après un moment consacré à apprivoiser le plan d'eau, deux marionnettistes les rejoignent : l'un assiste le trio de chanteurs avec la barque chinoise; l'autre manipule le buffle et le laboureur. Accompagnés par un pianiste, Lepage et Wilson placent l'entrée et la sortie du bateau, puis le mouvement du buffle et du laboureur.

Après environ une heure de travail avec le premier groupe, le Rossignol prend place sur la plateforme du côté cour, au pied de l'arbre. La soprano ne manipule pas elle-même sa marionnette, qui est fixée au bout d'une longue tige tenue par une marionnettiste en retrait. Le metteur en scène et son assistante prennent le temps requis pour placer la chanteuse, ainsi que la marionnette de l'oiseau, afin de créer les bases de la relation que toutes deux entretiendront.

Vient enfin le tour des Courtisans, qui sont chantés par un groupe de choristes debout sur scène. Leurs marionnettes apparaissent au pied de l'arbre, sur la plateforme du côté cour.

Ce n'est qu'après avoir placé, en séquence, tous les personnages de cette scène, qu'il devient possible de réaliser les premiers enchaînements.

Le public, aujourd'hui, sait très bien décoder le langage de la marionnette. Les gens savent qu'il y a des marionnettistes. Robert et moi préférons donc que ceux-ci fassent partie du spectacle. Cela n'est pas conforme à la tradition vietnamienne. Là-bas, les manipulateurs sont cachés au fond du plan d'eau, derrière un rideau de bambou. Dans Le Rossignol, la plupart des chanteurs tiennent leur personnage, le regardent, lui donnent vie. Les émotions que ces images génèrent sont très sophistiquées.
Michael Curry

Le lendemain, c'est au tour du Pêcheur d'entrer dans le bassin, pour la première scène de l'opéra. Comme ses collègues, il doit s'acclimater d'abord à sa combinaison, à l'eau, avant de travailler avec sa marionnette. Près de lui, la plus discrète possible, une marionnettiste manipule sa barque. Pendant cette première répétition dans le décor, le chanteur est décontenancé par la marionnette, par l'eau, au point d'en oublier plusieurs lignes de son aria. Puisqu'il travaille dans un tel contexte pour la première fois, cela est compréhensible. Quelques répétitions seront nécessaires pour que le chanteur se familiarise avec la série de mouvements et de manipulations attendus de lui. Lorsqu'il sera plus à l'aise avec sa marionnette, le chanteur pourra travailler plus en détail son interprétation.

UN GROUPE D'ARTISTES CHEVRONNÉS

Lorsque Ex Machina et les coproducteurs – Festival d'Aix-en-Provence, Canadian Opera Company à Toronto, Opéra de Lyon, De Nederlandse à Amsterdam – ont élaboré les paramètres du projet, il a été établi que la production utiliserait cinq interprètes spécialisés pour les marionnettes. Parmi ceux-ci, deux seraient sélectionnés et formés par Ex Machina, dès le départ, pour jouer dans toutes les séries de représentations. Chaque maison d'opéra engagerait trois interprètes, qui seraient intégrés lors des répétitions. Les deux *permanents*, si on peut dire, aideraient à l'intégration des autres, avec l'assistante à la mise en scène et le chorégraphe des marionnettes.

C'est dans cet esprit que, pour la session de travail chez Scène Éthique, à Varennes, en mai 2009, cinq interprètes ont été engagés. Parmi ce quintette, deux ou trois seraient de la création à Toronto. Les autres formeraient autant de candidats en banque pour les reprises. Lors des derniers jours à Varennes, il est toutefois apparu que la polyvalence et le haut niveau des habiletés demandées à ce groupe rendraient très difficile d'intégrer trois nouveaux marionnettistes acrobates dans chacun des théâtres. Ex Machina et les coproducteurs ont alors décidé que les cinq interprètes qui allaient créer le spectacle à Toronto feraient la tournée. De plus, un sixième suivrait ses collègues et apprendrait tous leurs rôles, afin de prendre le relais en cas d'urgence[12].

À l'usage, cette approche s'est révélée essentielle. Ombromanie à cinq, théâtre d'ombres acrobatique, manipulation de marionnettes avec des chanteurs dans un bassin, le bagage de ces interprètes est assurément très original. Le spectacle exige de leur part une grande précision et un degré élevé de raffinement, qui s'acquiert sur une longue période. Des *Fables* à *Le Rossignol,* en passant par *Renard,* la variété des disciplines que maîtrise ce groupe d'interprètes permet de construire un langage unique.

RENCONTRE INOPINÉE
DE L'EAU ET DE L'ART LYRIQUE

Lors du voyage au Vietnam, en janvier 2007, il a été établi que *Le Rossignol* serait joué dans l'eau. La réflexion sur la scénographie de tout le spectacle est née de cette exigence. Utiliser de l'eau sur scène ne représente pas une idée nouvelle, que ce soit au théâtre, en danse ou à l'opéra. Toutefois, pour *Le Rossignol et autres fables*, l'eau n'est pas sur le plateau – c'est habituellement le cas – mais dans la fosse d'orchestre. Ce choix artistique est séduisant. Il frappe l'imagination. Du même souffle, il amène une série de contraintes qui sortent de l'ordinaire.

Avec ce projet, nous voulions rapprocher le spectacle du public, notamment pour créer une plus grande intimité entre les personnages et les spectateurs, entre la marionnette et le public. De là l'idée d'exploiter la fosse d'orchestre...

Gérer ce bassin a été de loin le principal défi de la production. Il fallait trouver une solution souple, puisque ce spectacle circule dans différents théâtres. La principale nécessité technique était donc de pouvoir entrer dans autant de fosses. Il faut savoir que, dans la plupart des théâtres, les fosses ont des formes un peu bizarres. Elles ne sont jamais rectangulaires, n'ont pas la même largeur, ni la même profondeur. La relation entre la fosse et le public diffère aussi. Nous faisons ici affaire avec l'architecture de la salle, un espace moins versatile que le plateau. Une fosse est faite pour recevoir des chaises et des lutrins, pas des tonnes d'eau; et la configuration des sièges met en valeur la scène, pas la fosse... Il a donc fallu adapter notre bassin et la scénographie à cette architecture. Pour chaque théâtre, une étude artistique a été de mise pour vérifier si la fosse pouvait accueillir Le Rossignol. Nous avons dû vérifier encore si les angles de vue pour le public étaient corrects. Si ces deux aspects fonctionnent pour Le Rossignol, *nous pouvons aménager le plateau pour les* Fables *et* Renard. *Et si la fosse est suffisamment grande pour accueillir le projet artistique, la technique doit à son tour confirmer la faisabilité.*

Carl Fillion

Un défi technique

Avec Michel Gosselin, le directeur technique, Carl Fillion a minutieusement étudié ces questions fondamentales. Au début, les solutions ne semblaient pas évidentes. À preuve, plusieurs maisons d'opéra intéressées par le projet ont malheureusement dû se retirer, compte tenu des paramètres de leurs fosses, qui étaient soit trop petites, soit incapables de porter la charge estimée d'eau. Certaines auraient pu accueillir le décor, mais au détriment des angles de vue du public. Enfin, sauf en des circonstances particulières, comme à Toronto, la présentation de cet opéra en répertoire[13] a dû être exclue. Pour chaque salle de spectacle, un avis d'ingénieur est requis avant d'installer la fosse et de la remplir d'eau.

En cours de route, d'autres problématiques ont surgi : configuration des plateformes à cour et jardin (au dessus du bassin), inclusion d'un cadre décoratif ou non, comment réaliser l'arbre, disposition de l'orchestre sur scène, lien entre la fosse et le plateau, système de gestion de l'eau en répertoire, etc. Considérant qu'il s'agit d'un opéra, la conception scénographique a dû trouver plusieurs solutions inhabituelles.

L'orchestre sur scène ?

Conséquence directe de la présence du bassin dans la fosse : l'orchestre a été déplacé sur scène, au lointain, derrière l'aire de jeu. Pour les instrumentistes et pour les chanteurs, la configuration est nouvelle. Les solistes ont l'habitude de chanter *contre* la masse sonore de l'orchestre, qui sort de la fosse. Ils doivent pousser leur voix au-dessus de celle-ci, jusqu'au public. Pour *Le Rossignol et autres fables*, ce sera le contraire : non seulement les chanteurs vont être à proximité du public, mais l'eau – excellent conducteur sonore – va porter leur voix. L'orchestre jouant loin sur scène, la situation requerra une balance délicate, qu'il importe de bien analyser. Le défi global de cette production revêt aussi une dimension acoustique.

Avec la collaboration du Canadian Opera Company, du Festival d'Aix-en-Provence et de l'Opéra de Lyon, Ex Machina a procédé, sur plusieurs mois, à une démarche de validation de la position de l'orchestre, afin de vérifier :

- la configuration de l'orchestre pour les deux parties du programme;
- l'apport ou non d'une conque, au-dessus du plateau, pour améliorer l'acoustique; car au même titre que les fosses ne sont pas faites pour recevoir des tonnes d'eau, les cages de scène projettent mal la musique de l'orchestre vers le public;
- la position du chef, qui souhaite évidemment voir ses interprètes et être vu par eux, qu'il s'agisse des musiciens, des chanteurs ou des choristes.

Ce processus a culminé en 2008, à l'Opéra de Lyon, avec une simulation des configurations proposées. Plateformes, lutrins et podiums ont été aménagés pour l'orchestre, sur la scène, pour les première et deuxième parties, ce qui a permis à Kazushi Ono, directeur musical de l'Opéra de Lyon, qui a dirigé les représentations de Aix et de Lyon, de vérifier dans quelles conditions il aurait à travailler. C'est aussi à cette étape que la décision a été prise d'installer sur scène une conque acoustique, pour aider à projeter la musique d'orchestre vers le public. La disposition de moniteurs vidéo à des endroits stratégiques a aussi été étudiée, afin de pallier les difficultés, pour les chanteurs, de voir le chef.

Les chanteurs étaient devant le public, l'orchestre derrière eux, à une certaine distance, avec moi entre les deux. J'ai dû m'habituer à répéter avec les chanteurs derrière moi, sans qu'on puisse se voir directement. Les moniteurs vidéo ne règlent pas tous les problèmes. Il fallait maintenir la crédibilité. Pour y arriver, il a fallu, en quelque sorte, mieux s'écouter. Alors, puisque les solistes, l'orchestre et le chœur ont fait preuve d'une grande écoute entre eux, c'est comme si nous avions développé une intimité plus grande qu'à l'habitude. Je suis très heureux que, dans cette situation, nous ayons pu créer une relation de cette qualité.

Kazushi Ono

Plusieurs défis découlent du fait que les interprètes travaillent dans un bassin. Certains manipulent des marionnettes dans l'eau, pour rapidement se transformer en personnages secs. Il faut pour eux des costumes qui s'enlèvent vite, même mouillés. D'autres vont passer du plateau à la piscine avec des vêtements. Nous avons eu l'opportunité d'expérimenter plusieurs techniques, comme le plastique. Toutefois, nous ne sommes pas allés vers ces matériaux rigides. Nous avons choisi des tissus coupés, agencés pour réagir le mieux possible.

Mara Gottler

L'art de chanter dans l'eau en costume

Au premier chef, la température de l'eau, qui doit être gardée autour de 23° Celsius, pose problème pour quiconque doit répéter un spectacle pendant des heures. Des tests pour les chanteurs ont eu lieu dès le premier laboratoire d'exploration, à la Caserne, à l'automne 2007. Guy Lessard, ténor de Québec, a enfilé alors une combinaison de plongée avant de descendre dans le prototype de piscine. D'entrée de jeu, il a confirmé ce dont l'équipe se doutait, à savoir qu'un taux élevé d'humidité favoriserait le confort vocal. Ce test a validé par ailleurs que rien n'empêchait de chanter en combinaison de plongée, pourvu qu'elle soit bien ajustée. Comme pour n'importe quel costume... La combinaison permettait aussi de demeurer dans l'eau d'assez longues périodes avant d'être incommodé par le froid. Cette validation rassurante a permis d'ajouter un niveau de complexité : demander au ténor de chanter en combinaison, dans le bassin, en manipulant une marionnette. Après une heure, il était clair que cette idée avait aussi passé le test de la réalité. Dès lors, l'équipe savait que les chanteurs pourraient manipuler des marionnettes. C'est ce que Robert Lepage souhaitait. Le ténor qui allait jouer le Pêcheur, par exemple, chanterait en manipulant la marionnette de son personnage, quitte à ce qu'un manipulateur l'assiste pour la barque.

Avant de se mettre en mode « design », Mara Gottler, conceptrice des costumes, devait pour sa part investiguer comment ceux-ci allaient se comporter dans l'eau. La façon de dessiner et de construire, le choix des tissus, ne pouvaient faire abstraction du fait que les vêtements de plusieurs personnages allaient être mouillés. Et il fallait s'assurer que les costumes garderaient leur couleur malgré le chlore. Pour l'aider dans sa recherche, Ex Machina a organisé une visite au Cirque du Soleil, afin de bénéficier de l'expertise en cette matière de l'équipe de *O*. Une fois ces aspects techniques mieux connus, la conceptrice a tenu compte de la nécessaire interaction visuelle entre les costumes des interprètes et ceux fabriqués par l'atelier de Michael Curry pour les marionnettes. L'harmonie entre les deux types de costumes – portés par les interprètes et par les marionnettes – est essentielle. Pour y arriver, il faut aller jusqu'à coordonner l'achat des tissus, échanger sur la coupe, sur la confection. Cet agencement n'est d'ailleurs pas seulement lié aux couleurs, mais aussi aux motifs des imprimés[14].

Bouleverser la hiérarchie

Dans *Le Rossignol et autres fables*, l'utilisation de la fosse pour le décor chambarde des conventions. Chanteurs, chœur, acrobates, orchestre : tous opèrent à vue dans un ordre inhabituel. Pour Robert Lepage, un tel renversement des règles n'est pas étranger à sa volonté de faire entrer l'opéra dans le XXI⁰ siècle.

En travaillant avec Carl Fillion, le metteur en scène avait confiance qu'ils trouveraient de bonnes solutions, d'autant que l'équipe technique d'Ex Machina détient l'expertise nécessaire pour concrétiser ce genre d'idée. À partir du moment où la décision a été prise de remplir la fosse d'eau, Lepage savait qu'il devrait placer les musiciens sur scène. « Et c'est tant mieux... », a-t-il proclamé. Le public de l'opéra allait voir les musiciens et leurs instruments. La relation avec l'orchestre s'en trouverait privilégiée. Les spectateurs seraient plus conscients des différentes couches de musique; d'où provient la voix, d'où provient tel instrument.

À l'opéra, la hiérarchie historique est encore très stricte. La convention veut que l'orchestre soit confiné dans la fosse, que la diva soit le plus possible à l'avant-scène, que les danseurs, comédiens, acrobates évoluent derrière, avec le décor encore un plan plus loin. Cette convention donne une image figée du monde représenté. Comme s'il fallait fixer les choses. Mais la société dans laquelle nous vivons veut que cette hiérarchie bouge, demeure mouvante. Et il faut représenter ce mouvement aussi sur scène.

Robert Lepage

Travail d'exploration pour *Renard*.

OMBRES

Le langage développé pour la première partie du spectacle – qui, rappelons-le, regroupe *Ragtime*, les *Fables* et *Renard* – a puisé dans diverses techniques du théâtre d'ombres. L'ombromanie et le théâtre d'ombres conventionnel étaient là dès le départ. Au fil du travail d'exploration et de répétition, des pistes nouvelles ont jailli. Elles ont enrichi le vocabulaire expressif pour, à terme, donner à plusieurs éléments de prime abord disparates une forme théâtrale poétique, fluide, cohérente.

La démarche utilisée pour développer ce vocabulaire pourrait évoquer un parc après une forte chute de neige. Un premier marcheur, téméraire, veut traverser. Ses pas ouvrent la voie dans la neige. Suivent quelques pas supplémentaires, encore aventureux, qui tracent le chemin. Les premiers qui marchent n'ont pas la tâche facile. Chaque marcheur cale, hésite, change de direction, modifie le tracé du sentier. Après quelques marcheurs, toutefois, la direction est prise. Après quelques jours, le sentier est balisé, damé; se marche avec facilité. Le travail sur les *Fables* fait penser à cela : tracer un sentier dans la neige vierge. C'est aussi à quoi fait penser le travail d'Ex Machina, finalement...

Trouver un langage

Les *Fables* rassemblent une douzaine de brèves chansons. Elles font appel à des effectifs musicaux variés : deux soprani, une mezzo, un chœur de femmes, qu'accompagnent un octuor, un trio de clarinettes, quatre cors, etc. Plusieurs des anecdotes qu'elles racontent, sont dans un registre fantaisiste et animalier.

Scénographiquement, le dispositif requis pour créer les ombromanies est simple : une lanterne sur pied projette vers l'écran. Devant la source lumineuse, l'espace doit suffire pour que les cinq ombromanes circulent. Mais la scène comporte d'autres éléments; et il n'a pas été facile de trouver un concept unificateur pour la mise en scène. Il a fallu répondre à plusieurs questions :

Où seront placés les faiseurs d'ombres, avec leur source lumineuse ? Qu'en est-il de la position des chanteurs, notamment en relation avec le chef ? Comment assurer fluidité aux transitions entre les quatre cycles de mélodies ? Où placer les pièces pour clarinette, et le clarinettiste ? Instrumentistes et chanteurs seront-ils costumés ?

Pour ce volet de la production, Robert Lepage a fait appel à Philippe Beau, ombromane et magicien français, avec qui le metteur en scène avait déjà travaillé sur le spectacle *KÀ*. Il a contribué une première fois aux *Fables* en mai 2009. À ce stade, Lepage et lui ont, en quelque sorte, déblayé le terrain, pour créer le squelette de ces petites formes.

Lors de sa première séance de travail, l'artiste invité s'installe en retrait, avec les interprètes et la lanterne, près d'un écran. Là, il initie les ombromanes en herbe. D'abord, physiquement, il leur fait prendre conscience des images que l'on peut créer en utilisant l'ombre des doigts, des mains, des avant-bras, de la tête. Ils découvrent comment jouer avec la perspective et la juxtaposition des plans. Le magicien enseigne aux interprètes une nouvelle discipline artistique. Après quelques heures de cet apprentissage, l'étape subséquente consiste à construire diverses figures, seul ou à plusieurs. Lors de la séance suivante, le résultat est montré à Lepage sur le décor. À partir de là, le groupe s'intéresse aux textes des chansons, décryptant l'histoire de chacune, trouvant les personnages, avant de traduire cela dans le monde des ombres. Le soir, seul de son côté, Beau construit les tableaux. Après quelques jours, plusieurs idées

prometteuses ont été développées. Ce langage apporte fraîcheur, vivacité et enthousiasme.

Philippe Beau est revenu travailler avec le metteur en scène et les interprètes à Toronto, pendant la phase finale de répétition. À cette étape, l'essentiel de leur temps sert à construire les microrécits de chaque mélodie. Une semaine a été nécessaire pour que les ombromanes maîtrisent la séquence des ombres à jouer. Évidemment, ils ont aussi raffiné leur technique.

Je travaillais à l'opéra pour la première fois. Cela impliquait davantage de personnes que sur tous les autres spectacles ou productions auxquels j'avais collaboré. Je devais former cinq personnes en tenant compte des aptitudes de chacun, et leur apprendre des techniques qu'ils n'avaient jamais abordées. En même temps, c'était pour moi une première expérience de direction artistique. Je sais que ma collaboration à ce projet a été possible grâce à l'ouverture d'esprit de Robert Lepage et d'Ex Machina, qui s'intéressent à tous les arts, mêmes ceux dits mineurs, et à toutes les cultures, au service d'une expression artistique.

Philippe Beau

Les ombromanes s'exercent à vue, sur la plateforme qui surplombe le bassin du côté jardin. Ils portent des costumes de paysans russes, comme le trio de chanteuses. Au centre, sur l'écran, se meuvent les ombres. Après les premières répétitions sur scène, à deux semaines de la première, le constat suivant fait toutefois l'unanimité : il manque quelque chose, un liant, qui fera de ces éléments disparates une proposition homogène, organique. Un premier élément de solution allait venir des surtitres.

Généralement, les surtitres sont projetés sur un écran suspendu dans le haut du proscenium. Une des forces du travail de Robert Lepage est de ne pas hésiter à questionner les conventions. Ainsi, le metteur en scène a deviné, dès les premiers tests sur scène, l'usage que la production pourrait faire de l'écran des *Fables* et de *Renard*. Première idée : projeter sur cet écran le titre du programme pendant *Ragtime*. De là à utiliser le même écran pour le livret des *Fables*, il n'y avait qu'un pas, vite franchi. En décidant de projeter les textes des mélodies non pas à leur endroit habituel, mais sur l'écran des ombres, en superposition des ombromanies, la mise en scène gagnait en puissance. Les images d'ombres allaient cohabiter avec la lumière des textes. Le lien entre les ombromanes et les solistes devenait l'écran, qui ouvrait aussi la porte au texte des mélodies.

J'ai fait entendre à Robert des cycles de mélodies contemporains du Rossignol *et de* Renard, *et je me souviens de son adhésion immédiate à la beauté de ces mélodies, qui font presque toutes la part belle au monde animalier. Il y a donc une forte unité musicale (toutes les œuvres datent de la période dite « russe » du compositeur), par-delà le nombre et la diversité des œuvres interprétées. On aurait pu craindre que la première partie ne soit qu'une succession de jolies mélodies, mais Robert s'est vite rendu compte de la nécessité de trouver pour elles une unité scénique, au même titre que pour* Renard. *Je suis très sensible à l'extrême économie des moyens utilisés, à la polyphonie visuelle ainsi qu'à la poésie qui s'en dégage. C'est sans doute aussi la partie la plus difficile à filmer, car même un montage sophistiqué ne pourra retrouver la mobilité du regard du spectateur, attiré à la fois par les chanteurs, les musiciens, les ombromanes ou les acrobates, et le résultat de leur travail projeté en ombre sur l'écran.*

Bernard Foccroulle

Ombres blanches, ombres noires, ombres miroirs

Après les *Fables*, avant *Le Rossignol*, *Renard* constitue une étape intermédiaire dans la progression des moyens mis en œuvre par l'équipe de création. Les ombres sont toujours à l'honneur, quoique dans un registre différent.

Le concept créé par Ex Machina suit d'assez près les indications de Stravinsky[15]. Le quatuor de chanteurs est à l'avant-scène, de chaque côté du chef. Les chanteurs sont *hors* de l'orchestre, sur le seuil du récit, si on veut, puisqu'en costume de paysans russes et mis en scène, aidés par quelques accessoires. Au lieu de jouer sur des tréteaux devant le rideau, comme le souhaite le compositeur, cinq manipulateurs acrobates composent un théâtre d'ombres derrière l'écran central.

Avec Renard, *nous travaillons en théâtre d'ombres plus conventionnel. Le langage est emprunté aux techniques de l'Asie de l'est. Derrière un grand écran, on devine des silhouettes d'interprètes, qui manipulent des accessoires et des marionnettes, surtout des découpes. Les ombres de leurs corps modifiés, munis d'appendices, créent les personnages animaliers. La lumière vient d'abord de l'arrière de l'écran.*

Dans la deuxième partie de Renard, *avec Michael et Etienne, nous avons développé un langage plus moderne. La lumière sur l'écran vient maintenant de l'avant, entre autres des projecteurs de poursuite, pour faire ce que nous avons appelé des ombres blanches. En effet, les découpes, tenues par des tiges, deviennent blanches. On voit moins les corps des interprètes. Il faut utiliser plutôt leurs mains...* Renard *se termine avec des découpes miroirs, qui créent un effet de réflexion des silhouettes des animaux.*

Robert Lepage

Lors des répétitions à Toronto, le travail sur *Renard* s'est révélé laborieux. Le vocabulaire développé pendant les étapes précédentes tient la route, mais Michael Curry a préparé du matériel nouveau, que Robert Lepage et Martin Genest n'attendaient pas vraiment. Ils ont dû adapter le *storyboard* pour intégrer ces nouvelles découpes.

Autre problématique, Lepage, Sybille Wilson et les autres ont découvert que les versions française et anglaise du livret ne concordaient pas entre elles, et que toutes deux ne correspondaient pas à l'original russe. Cela s'explique compte tenu du caractère fantaisiste, pour ne pas dire surréaliste, du texte de Stravinsky. La professeure de russe affectée à la production a donc dû, dans l'urgence, produire une traduction littérale du livret. Ce nouveau texte a révélé des surprises : Renard est en fait une renarde; il y a un loup dans la troisième scène; certains segments n'ont pas de lien direct avec le récit. Travail dramaturgique, donc, nécessaire avant de finaliser le *storyboard*, le choix des marionnettes et la mise en place.

Lepage, Curry, Genest et Wilson consacrent temps et efforts pour trouver le langage adéquat. Sur le mode essai-erreur, ils prennent des heures pour développer un mouvement qui, souvent, ne dure pas plus de quinze, vingt, trente secondes.

Du théâtre d'ombres réussi, les gens croient que c'est de la vidéo, du film. De nos jours, il faut faire prendre conscience au spectateur des manipulateurs acrobates, nos cinq interprètes. C'est pourquoi l'écran de Renard, notamment, est surélevé du sol. Je veux que l'on voie leur travail, car ils apportent chaleur et humanité dans un monde par ailleurs très graphique, celui des ombres.

Robert Lepage

Qui dit ombre dit lumière

Pour créer des ombres, il faut bien évidemment de la lumière. À cet égard, que ce soit pour les *Fables* ou pour *Renard*, le choix des sources d'éclairage, leur position, ont fait partie intégrante du processus de création. Pour *Le Rossignol*, le défi est venu entre autres de la position de la scénographie, devant le cadre de scène. En effet, dans les différents théâtres, les emplacements pour les projecteurs ne sont pas déterminés pour éclairer la fosse. La présence de l'orchestre sur scène, derrière la scénographie, ajoutait à la complexité du projet. Surtout quand il a été décidé de joindre une conque pour améliorer l'acoustique. Etienne Boucher, le concepteur des éclairages, a dû trouver diverses solutions adaptées à ce contexte particulier.

Avant de dessiner son plan d'éclairage, Boucher a profité des laboratoires d'exploration et de développement. Il a apprivoisé au fur et à mesure la scénographie, la mise en place, les accessoires. Il aime bien, d'ailleurs, placer des sources dans quelques accessoires, comme c'est le cas dans les yeux de Mère Renard ou dans les lanternes du Pêcheur. Il a dû étudier en détail tous les théâtres où est présenté le spectacle, pour s'assurer d'y reproduire les effets voulus, d'autant plus que la piscine n'a pas partout la même dimension.

Durant la première partie, l'action se passe autour du bassin. Qu'à cela ne tienne, dès *Ragtime*, le concepteur a souhaité explorer l'effet de la lumière sur l'eau. Quand la décision a été prise, à Toronto, que le chef dirigerait d'une petite plateforme qui surplombe le bassin, Boucher a remarqué que les mouvements faits par le chef en train de diriger provoquaient des ondes à la surface de l'eau. Utilisant le reflet de ces ondes, il a su créer, sur l'écran surélevé derrière les musiciens, une chorégraphie de reflets lumineux qui évolue en relation avec les mouvements du chef et, indirectement, avec la musique. C'est ainsi que le reflet des vaguelettes a finalement fait partie du jeu.

Pendant les *Fables*, le concepteur lumière est somme toute prisonnier des besoins de l'ombromanie. Évitant d'éclairer l'écran où sont projetées les ombres, il se concentre plutôt sur les chanteurs, situés à l'avant-scène.

Pour *Renard*, la lumière définit l'ambiance dans laquelle évoluent les ombres des manipulateurs acrobates. Ici, une trouvaille pertinente est venue de cette dichotomie, dont nous avons parlé plus haut, provoquée par les ombres noires et les ombres blanches. Avant de faire ces choix, pendant la phase de développement, Boucher a exploré quelques autres techniques. Au premier chef, l'utilisation de petites sources lumineuses manipulées par les interprètes a été considérée, sans toutefois être retenue. Il s'est intéressé aussi à la couleur des lampes, ce qui s'est traduit par un bel effet de rouge quand le renard est découpé en morceaux. Quelques effets de *zoom in* et de *zoom out* contribuent aussi à enrichir le vocabulaire de la pantomime.

Le Rossignol a posé un défi d'un autre ordre, qui a sollicité davantage l'inventivité du concepteur des éclairages. Les trois actes sont brefs; ils évoquent des lieux ou des heures du jour différents. La qualité de la lumière provient plutôt, ici, de la création d'ambiances bien adaptées.

L'Asie est une région du monde où l'air est chargé d'humidité et nous offre souvent des paysages brumeux. Travailler avec la fumée, les réflexions dans l'eau, les dorures étincelantes de l'art chinois, ou encore avec leurs soies colorées, ce sont tous des éléments inspirants pour un concepteur d'éclairage.

Étienne Boucher

Accompagner le travail de Robert et de son équipe constitue une aventure hors normes. Au départ, il y a la vision de l'artiste, une vision qui s'esquisse longtemps à l'avance, et se précise ensuite par étapes successives. Ce qui est très frappant dans le travail de sa compagnie Ex Machina, outre la qualité remarquable de l'équipe qui entoure le metteur en scène, c'est la vitesse avec laquelle on rentre dans la dimension concrète du spectacle. Non que la réflexion dramaturgique soit absente, loin de là, mais les ateliers successifs, qui se déroulent surtout à la Caserne, à Québec, donnent le sentiment d'une matière étonnamment précise, vivante, de sorte que réflexion et expérimentation se nourrissent mutuellement.

Bernard Foccroulle

LA TOUCHE FINALE

Dès le début du projet, le Festival d'Aix-en-Provence a insisté pour que toute l'équipe de conception soit sur place à l'été 2010. C'était là une belle occasion de raffiner le travail... Car après la création, à Toronto, Robert Lepage n'était pas totalement satisfait. « Nous pouvons aller plus loin », affirmait-il. Cela est possible, notamment, grâce au processus de sédimentation des idées, qui poursuivent leur évolution, mentalement, entre deux périodes de travail. Ce processus est devenu, en quelque sorte, un outil qu'utilise Ex Machina pour la plupart de ses spectacles. *Le Rossignol et autres fables* allait donc trouver sa forme définitive à Aix-en-Provence, neuf mois après la première à Toronto. Les *Fables* et *Renard*, surtout, allaient bénéficier de cette nouvelle étape.

Pour *Renard*, maintenant que les questions dramaturgiques étaient résolues, que le jeu de découpes et marionnettes était connu, que les manipulateurs acrobates connaissaient l'essentiel de la routine, le metteur en scène et ses collègues étaient en bonne position pour mieux définir la proposition. Il ne s'agissait pas de changer le langage, mais de mieux utiliser les composantes du vocabulaire. Le terme consacré, au théâtre, parle de *nettoyer* la mise en scène. À Aix, ce travail ne s'est pas limité à l'action des mimes derrière l'écran. Il a impliqué la mise en place des chanteurs à l'avant-scène. À Toronto, les chanteurs s'exécutaient sur la plateforme côté cour, près de l'arbre, séparés de leurs confrères musiciens. Fruit du recul, le metteur en scène a décidé de déplacer le quatuor vocal sur le plateau, devant les instrumentistes, tout près du chef. Il a demandé aussi d'ajouter un nouvel écran de surtitres, plus petit, situé juste au-dessus de l'écran des ombres.

Philippe Beau a profité d'un bref séjour pour peaufiner les ombromanies des *Fables*. Toutefois, les changements qui contribuent le plus à bonifier la mise en scène concernent la position des trois solistes, qui ont aussi quitté la plateforme à jardin pour le plateau. Elles allaient dorénavant chanter juste devant les instrumentistes, à droite du chef. Et en même temps que leur entrée, les choristes des *Quatre chants paysans* allaient prendre position sur la plateforme de l'arbre. Pendant les trois premiers cycles de mélodies, celles-ci sont spectatrices de leurs consœurs.

Ces corrections ont eu pour effet de resserrer le tout. Le regard du spectateur pourrait dorénavant embrasser, d'un seul coup d'œil, les composantes du spectacle. En fait, toute la première partie y a gagné.

Pour *Le Rossignol,* l'avantage de travailler avec les mêmes chanteurs solistes qu'à Toronto, sauf quelques changements, a permis de pousser d'un cran la qualité du jeu, l'intégration des diverses parties, la relation entre chanteurs et marionnettes, la communication entre les chanteurs et les manipulateurs. Une foule de détails ont trouvé leur place, ce qui s'est traduit pour le spectateur par une expérience plus fine, plus poétique, plus forte...

Bernard Gilbert
Juin 2011